D0989117

モーニングKC620

バガボンド 2

Vagabond

1999年 3月23日 第1刷発行
2002年 8月20日 第20刷発行
(定価はカバーに表示してあります)

著者 井上雄彦(いのうえたけひこ)/吉川英治(よしかわえいじ)

発行者 五十嵐隆夫

発行所 株式会社 講談社
〒112-8001
東京都文京区音羽2-12-21
Tel.東京(03)3945-9155[編集部]
東京(03)5395-3608[販売部]

装丁 thesedays

印刷所 株式会社廣済堂

製本所 誠和製本株式会社

Printed in Japan
N.D.C. 726 238p 19cm

落丁本・乱丁本は小社雑誌業務部宛にお送りください。送料小社負担にてお取り替えいたします。(電話03-5395-3603) なお、この本についてのお問い合わせはモーニング編集部宛にお願いいたします。

ISBN4-06-328620-7

『バガボンド』第2巻は、'98年のモーニング50号から52号、'99年1号から4・5合併号、7号から11号に掲載された作品を収録したものです。編集部では、この作品に対する皆様のご意見・ご感想をお待ちしております。また、今後「モーニングKC」にまとめてほしい作品がありましたら編集部までお知らせください。

〒112-8001
東京都文京区音羽2-12-21
「講談社 モーニング編集部」
モーニングKC係

やがて光も見えるぞ
武しゃーん!!
バガボンド第2巻／おわり

闇を知らぬ者に
光もまた無い

闇を抱えて生きろ!!
武蔵

と思うぞ

武しゃーん

オーーイ

ブツ

生きていいのか

本当か
沢庵

お前は
そんなふうには
できていない

殺すのみの修羅のごとき人生が本望か
武蔵

違うよ

今までのお前をも
見捨てるのか

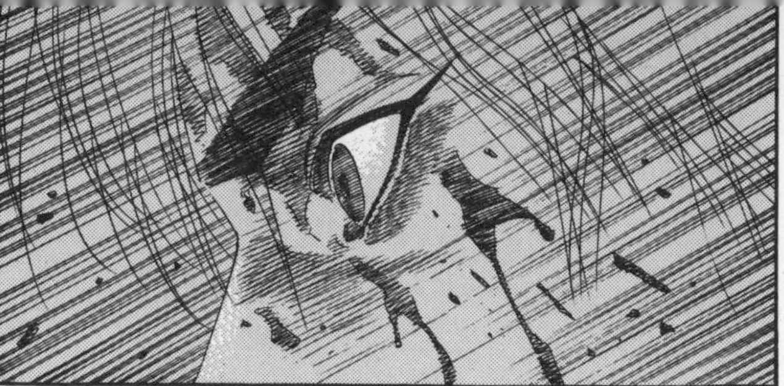

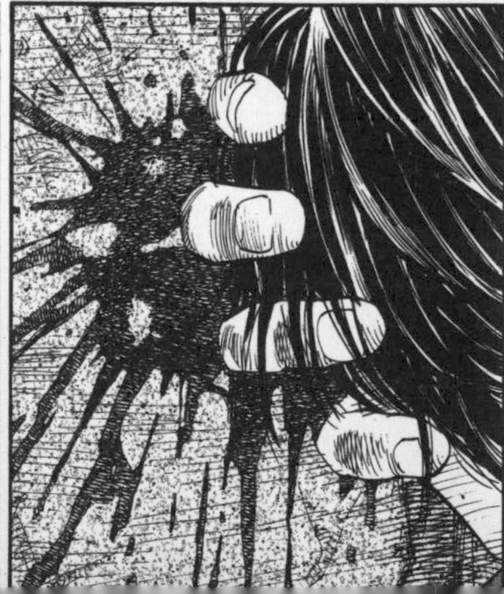

命を放り投げるか武蔵
ここで

何故俺は
生まれたんだ

疎まれ
恐れられ
忌み嫌われ
殺して
殺して
殺されるだけの鬼の子なら

何故俺を
生んだのだ

捨てるのなら
殺すのなら──

よろ
はあ
はあ
はあ

ザ…
はっ
はあ
はあ

!!

何故

殺した!!

それで満足なら
がっ…
そう言わんか!!
コラ!!

ゲホッ
ゲホ
……
それでも坊主か……

……

いいや
クソ坊主だ……

言え!!

殺せっ!!
殺せよっ!!

言わねーか!!
ゴッ
あぐっ
ザッ

……
はあ
はあ

殺した!!
ふぐ
ゴッ

殺した!!

!
高らかに
宣言してみろ
…!!
俺は誰かれかまわず斬りまくった!!
そして今訳のわからん坊主に斬られて死ぬ!!

俺は思いどおりの人生を生きたぞ――!!
万歳俺の人生!!
これこそ俺の人生!!
望みどおり――!!
ワハハハハ!!

暗い……
つらい……
悲しい
さびしい
眼だな

…けっ
うるせえ

斬って斬って
斬りまくって

いつか
力尽きて
斬られる
までの人生
それが
本当の
望みだと？

そうだ
じゃあまさに
望みどおりの
人生を生きた
じゃねえか
武蔵
なぜもっと
笑わん

朗らかに
笑え武蔵
もう
死ぬんだ

……

宮本村の水はうまいな
ひからびた体も少しは潤ったろう

殺せ…

お…
声も戻ったな…しゃがれ声だが

……何だって？

殺せ
クソ坊主
はっ
はっ
はっ
はっ

それが望みか
他に何がある

暗い顔だ
武蔵

#21 光のある場所

ここがお前の死に場所か
……
武蔵

いい場所だ
宮本村が見渡せる

大根

バガボンド

死に場所を選ばせてやる
ざしっ

うむっ

うむ……
重い
ざしっ…
ふむっ

武蔵(たけぞう)

これで
はっきりした
かくすという
ことは
武蔵は
生きている

誰かが
逃がした
その
誰かは
ここに
いない
沢庵

それに
おつう――

そう
沢庵の台本に
書いてあるか
うっ!!
……

自然に
切れた?

カーッ
わしの眼を
ただの穴とでも
思うたか!!
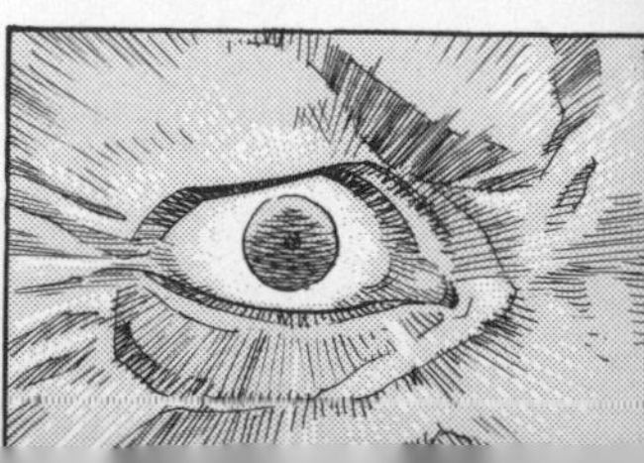

縄が切れて
頭から地面に
叩きつけられ
……

間もなく
こときれた

ピク

縄が切れた？
もっとも
つるされてた時
から 相当
衰弱してたから
もしかすると
すでに死んで
いたのかも

死体は？
ぎろり

姫路城！

姫路城の
池田輝政様に
引き渡された
罪人で
あるから

武蔵は死んだ

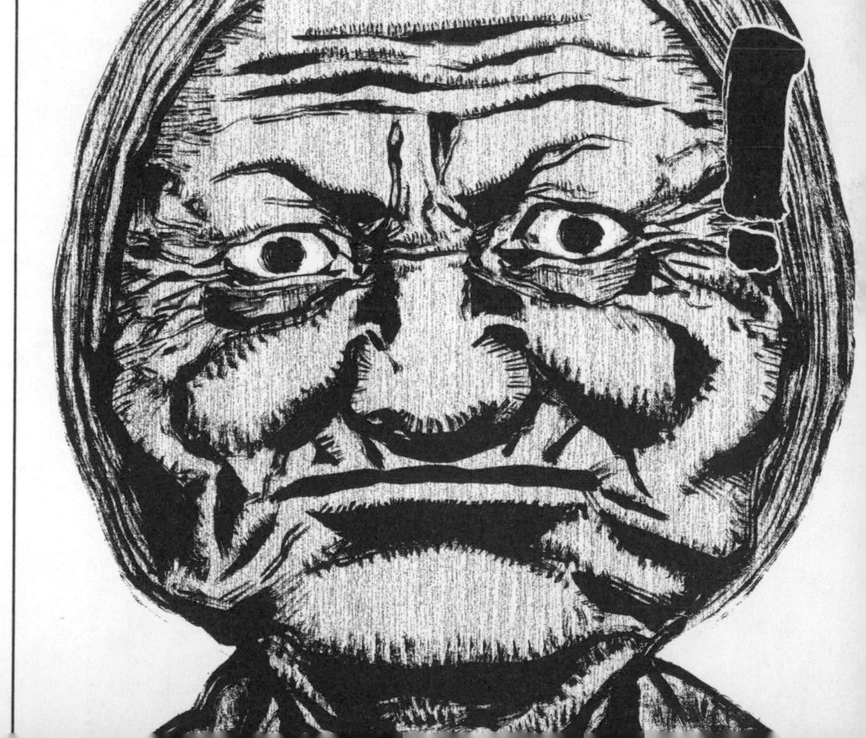
!

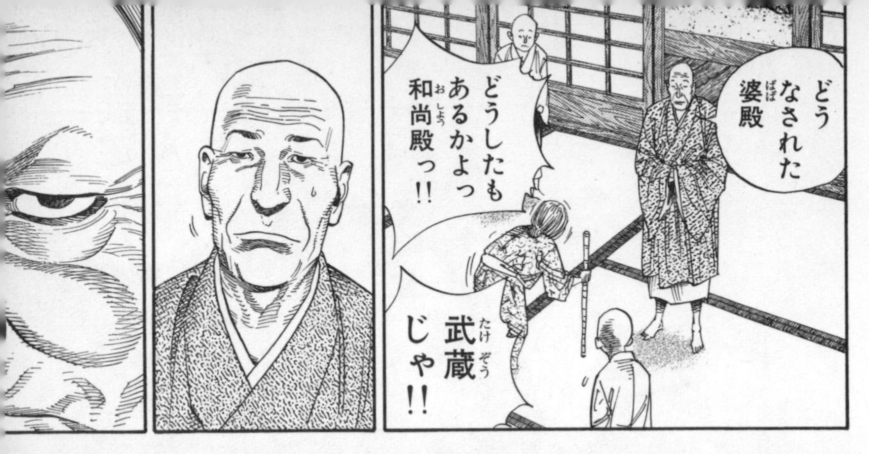
どうなされた婆殿
どうしたもあるかよっ和尚殿っ!!
武蔵じゃ!!

逃がしたのけ?

和尚殿

死んだ!?

武蔵(たけぞう)が
死んだ!?
いや
さもなくば

逃げた!?

……

ひーっ……

沢庵坊!!
ばば様
沢庵坊はどこじゃ!?

おつうっ!!
おつうはっ!?
どか
どが
おつう——!!
あっばば様っ

ばっ

ばっ

ばっ

……
ばば様!

はっ
はっ
はっ

む…？
カラスがおらぬ？
あ……
……!!

斬られたっ!!

何だあいつは
僧!?

斬られていた

ザ
ザッ
ザッ
ザッ!

バッ

とん
お前も同じ暗黒に戻るならせめて――
紅く美しく死ね

人を幾度も
殺めてきた俺は
さしずめ――
死神
行きつく先は
もとより地獄
ヅ
ッ

天国と
地獄
そんなものが
あるなら

＃20
死

雨に
うたれ
太陽に
さらされ
小便を
たらし

それでも
生きてる
まだ何か
あるとでも
？

醜く黒く
濁っていく
だけだ

バガボンド

恥を
ぶら下げて

辻風(つじかぜ)……
黄平(こうへい)

よく生きているな
武蔵

ギャア
はあ
ギャア
はっ
はあ
はあ
はあ

ピク

内心は
どうあれ
・・・・・・・・・
眉一つ
動かさぬ
とは

鬼の子と
いわれるだけ
ある
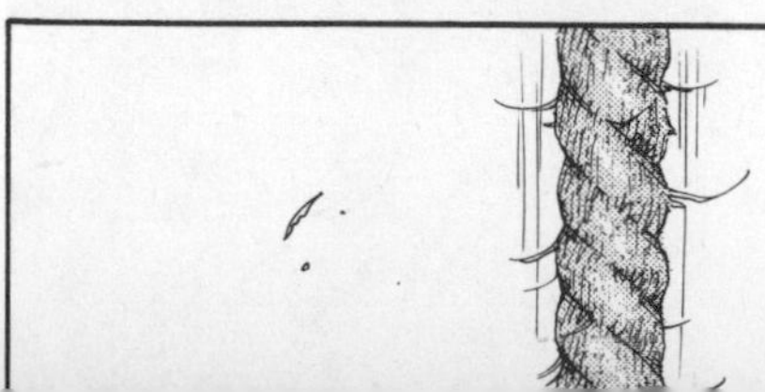

ピ
ウッ

今のうちに殺すか

抜け

……

この新免無二斎の血をひく唯一の男
武蔵お前は必ず強くなる

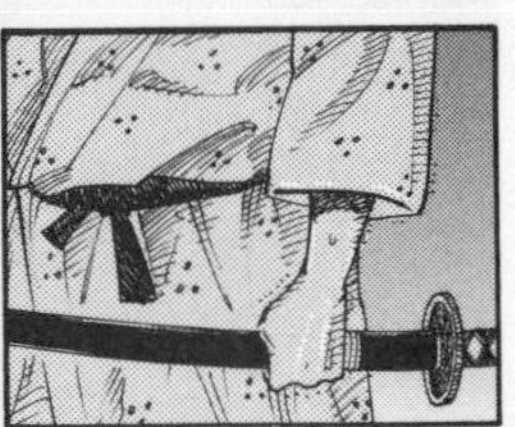

わしにとっていずれ脅威となる

このわしを
討つと？

!?
言って
ない
同じ
こと
天下無双は
二人いらぬ

お前も

……

剣をとれ

……

とらぬか

この世にただ一人

天下無双の男になる

まだ死なせんぞといっておられる

ザアァァァ

ゴクッ……

天下……
無双

はっ
はっ
はっ
はっ

ポツ
恵みの雨か

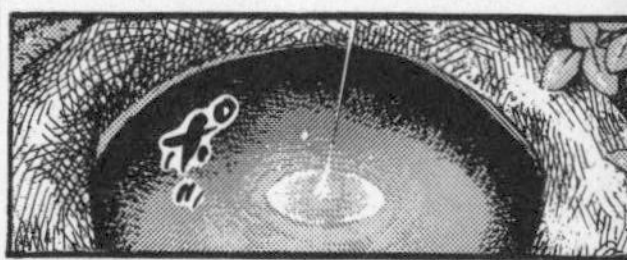

ザァァ
お天道様も許さんといっとる

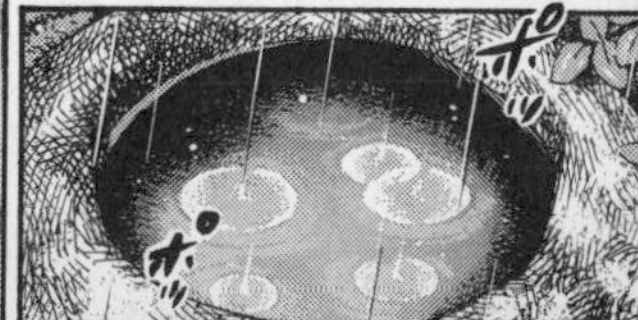
ポ
ポツ
ポツ

わっ
彼らの命を奪ってまで生き延びておいて
うあっ
ここらで格好よく死にたい？
うわっ
ずいぶん自分勝手じゃないか

お前だけ
死にたい時に
死ぬだと？
武士らしく
潔く？

うっ
何様の
つもりだ
ブチ
お前は
ブチ

ただ
何となく
生きてた者
ギャアッ
……
天下
無双

武蔵(たけぞう)
お前が
終わらせ
たのだ
彼らの
人生を

家族がいた者

いない者

幼い子供がいた者
許嫁がいた者
犬飼ってた者

何かを夢見た者

潔く死にたいか？
武士らしく？
ギャア
ギャ
駄目だ
勝手をいうな

お前に殺されていった者たちにもそれぞれの人生があった

祝福されてかされずにか
この世に生まれて育ち

#19 鬼の子

ギャァ
ギャァ
メ

ギャー
うるせえなあ

「早く死ね」と
聞こえるな武蔵
ゼッ
ハッ
ハッ

バガボンド

!!

はうっ!?

あ……
明日こそは

……

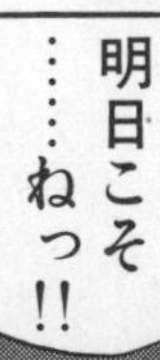
明日こそ……ねっ!!

武しゃん

あたしの技術もだけど
これは受けとる方の技術も要求されると思うのよ武しゃん

いい？
口をガーッと開けて
上手く受けとって

ダメ！口開けて大きく！

……

よし！
それだ
今日こそっ

ガサッ
しーっ

今日こそ……!!

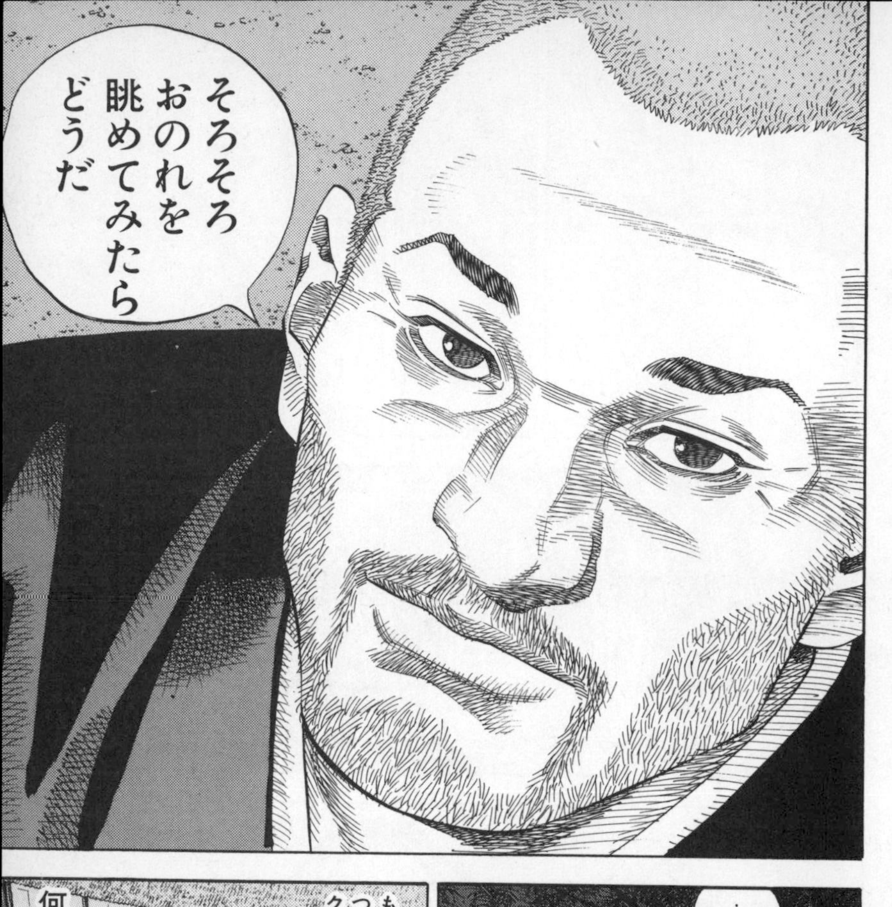

そろそろ
おのれを
眺めてみたら
どうだ

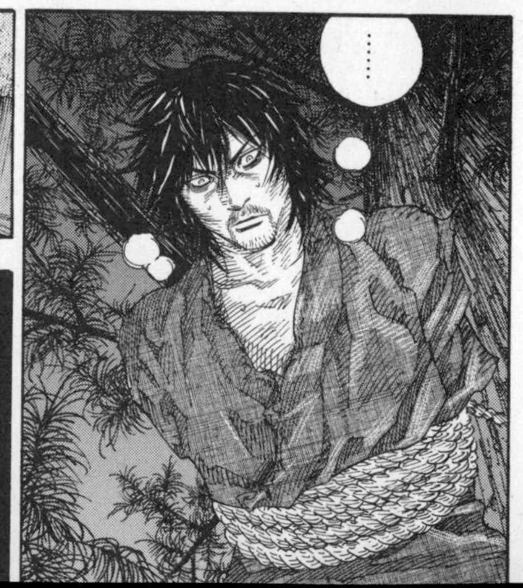

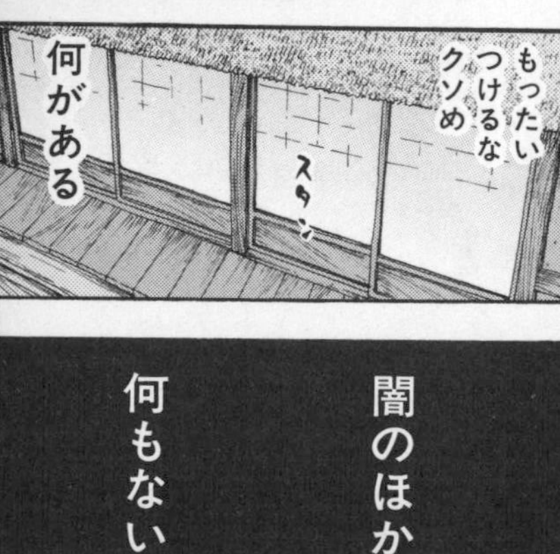

もったい
つけるな
クソめ
スタン
何がある

闇のほかに

何もない

ゲホ
ゲェホ
ゴホッ
驚いた！まだそんな力があったとは!!

ゲホッ！

グェッ

明日にも死ぬぞ
無茶をすると

何故武士らしく死なせん
ハー
ハァ
ハッ
死んでいいんだ俺は

……もうそこからの眺めにも飽きただろう……

……
……
が……
ハッ……
おお？
殺せっ!!
クソ坊主!!
殺せっ!!
殺せえっ!!

ガタ

……

……
いいぞ
おつう

バッ
バ
バシ
バシーンッ
!!
けェ──い
どっちが裏切り者じゃ
この野良猫がっ!!
よしなさい
……

おぼえて
おれ
おつう……!!
はあ
はあ
はあ
はあ

その母様も
もう好きになれない

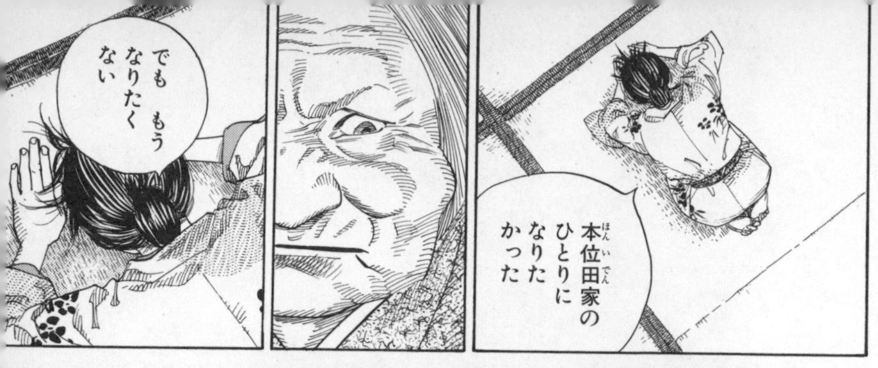
本位田家のひとりになりたかった
でも もう なりたくない

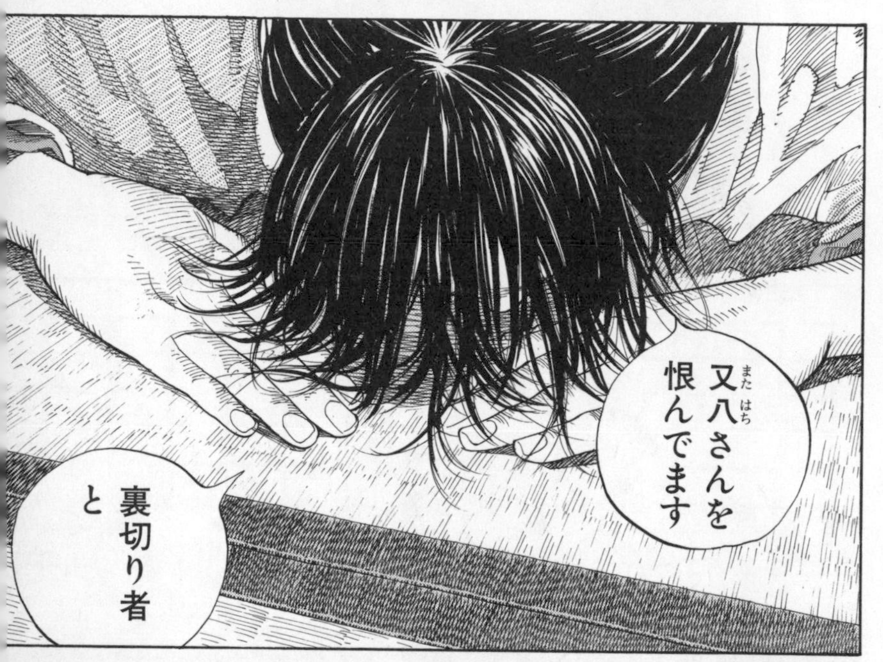
又八さんを恨んでます
裏切り者と

絶対嫌です
!!

な……
……
みなしごのあたしを気にかけてくれたこと一生忘れません
嬉しかった

今日から本位田の人間になりゃれ
もう一度いう
……
……

なにっ
嫁じゃと!!

おつう
今何と
いうた!?

そろそろ
寺を出て
本位田の家で
一緒にくらそう
とワシは
いうた
嫁として
うちに
来やいと!!
ばばの恩情が
おぬし
わからぬか!?

嫁と
いっても
肝心の又八が
おらんでは
ないか?
誰の
もとへ
嫁に?
だまらっ
しゃい!!
又八は
帰ってくる!!
おつう
寺に捨てられていた
おぬしを不憫に思い
いろいろと
目をかけてきた
ワシじゃ
みなしごの
おぬしを
喜んで本位田家の
嫁として
受け入れようと
いうとるのじゃ!!

死んだかの？

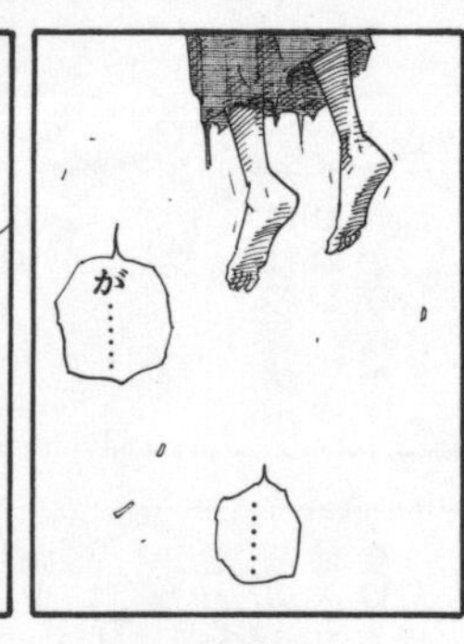
が……
……

おおしぶといのう！
カカカ

おつうや――
おつう！
嫁御――!!
……

ギシ
ギシ
ギシ
殺せっ
早く!!
……
スタン
殺せ。。。。。。
はっ
はっ
ひっ
はっ
は

ああ〜〜〜!!
……いいったら

うるさいな……?
スッ…

!!
ギク

くあ……
ザザザ

武(たけ)しゃん!
明日はきっと!!
……ごめんね

……
ダダッ

クソ坊主

沢庵さんにきつく言われてるから……
よろ
よろ
縄を切ることはできないの
かっ……
……が
……
いいよおつう……
俺にかかわるな

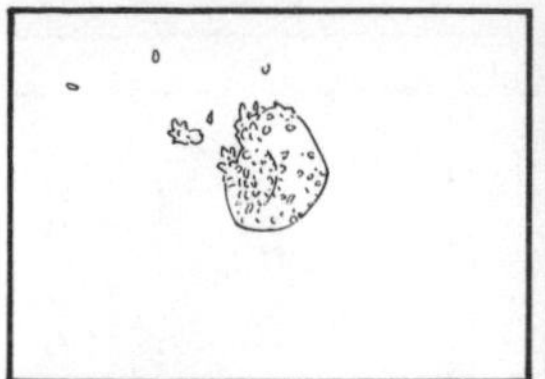
食べないと……
よろり
死ぬよ

ドッ
！
あっ!?

ぼと

こっそり
残しといた
……

…………………

おっと

待ってて
……

むむ
……
ん……
よろ

よろ
ほらっ
よろ
食べて
……
武しゃん

武しゃん

おつう——

#18 樹上の恥

なりたかった
だけだ

……

この世にただ一人
天下無双の男になる

強くならねば

心が
揺れないように

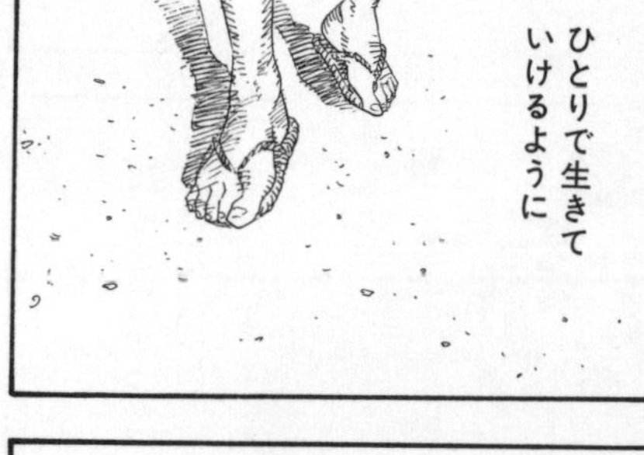
ひとりで生きて
いけるように

強くなる
誰よりも

ふっ…と
顔が見たく
なっただけだ
……大きくなったと

知らせたかった
だけだ
武蔵……!!

帰って
おくれ…
お父上の
所へ……

お前は
この村で
一番弱い
嘘だ
誰にも負けた
ことはない

俺は
ただ強く
なりたかった
だけだ

もう
母ではない

なぜ
こんなことに……?

ゴン
けェーーい
とうに
干からびたか
と思えば
しぶとい
奴め!!

くそ坊主
出てこい

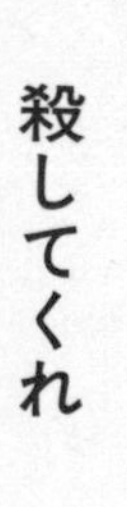
殺してくれ

……

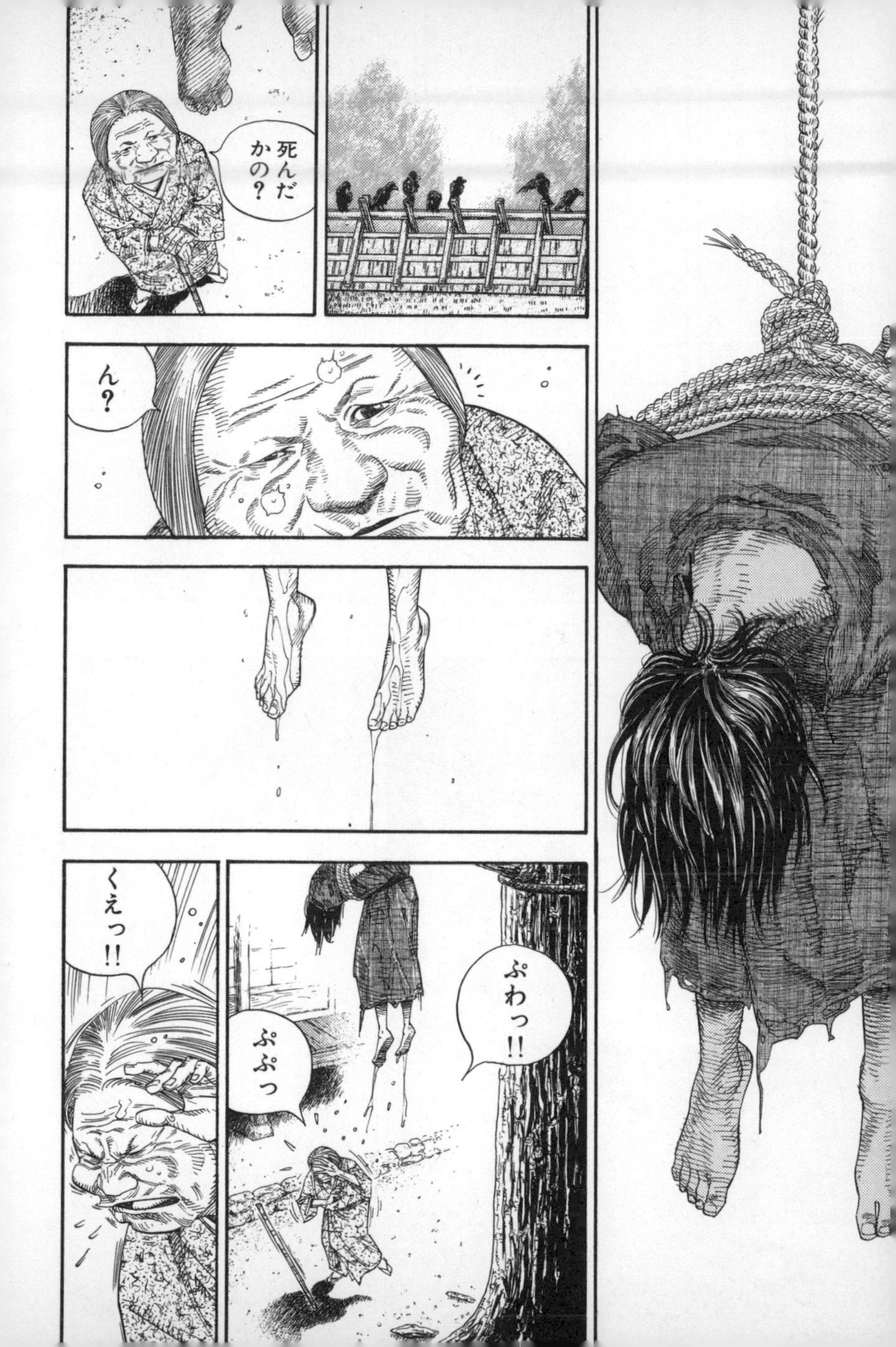
死んだかの？
ん？
ぷわっ!!
ぷぷっ
くえっ!!

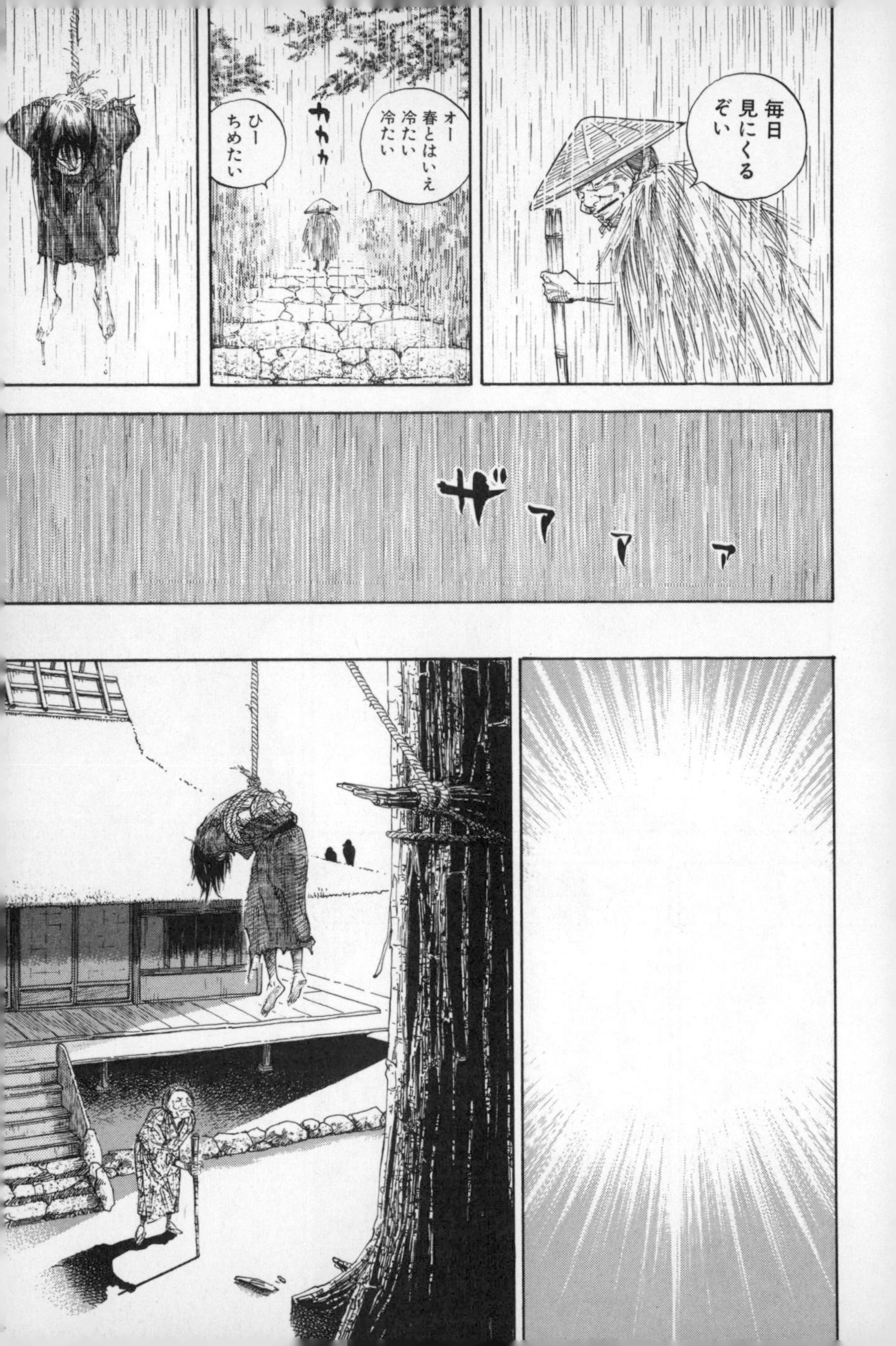

毎日見にくるぞい
オー春とはいえ冷たい冷たい
カカカ
ひーちめたい
ザァァァ

よいザマよの

本位田家はおぬしのせいで大事な跡取り息子を失ったも同然
他国で女と生きてるなどというおぬしの話など信じてはおらぬ
又八の無事はいずれわしがこの目で確かめる
……
おぬしのとどめはこの婆がさしてやる!!
楽しみにの!!

武しゃん………

まるで
あたしが
だました
みたい

武蔵は
そんなふうには
思わん

………

ザアアア

出るなと言っただろう
はっ

だって!
ひどい雨!!

おつう

お前武蔵のあの姿を見たら
縄を切ってやりたくなるだろう?

うん
だからだめだ

それが俺だ
覚悟はとっくにできている
殺せっ!!

ザーーー

ギュー

殺さなければ
殺されてたのだ

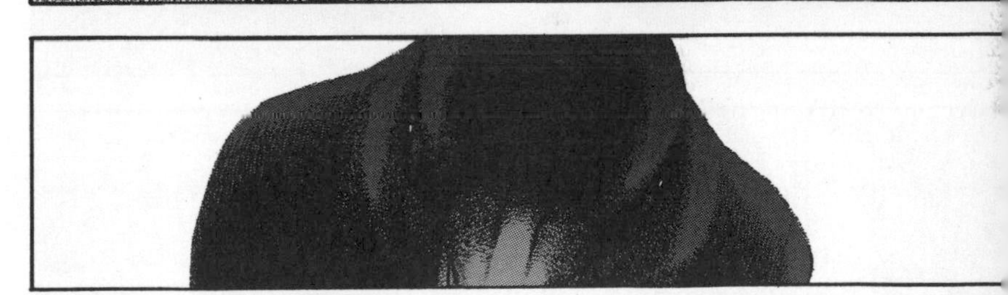

斬って
斬って
斬って
斬って
斬り合いの
果てに死ぬ

フム
まだ生きとるか……

殺せ

ひと思いに殺せっ!!
なぜこんな

生き恥を……
すた
すた

スタン

ギャー

なぜ殺さん
クソ坊主

バタ
バタバタ
アー
アー
ああ
そうか

!!
バタバタ
ゴッ
#17 天下無双

痛え

ゴッ

痛え

バガボンド

武蔵（たけぞう）捕らえたり

おつうはお前を微塵も恐れていないぞ
武蔵

気を失ってるか……………

さしもの
暴れん坊も
空腹と　この
長い逃亡者生活
それに
手負いの今なら
このわしにも
望みありとな

だが
どうだ

わしの
出る幕など
なしだ

いちばん
強いのは
おつうだった

どうだ
捕まるなら
おつうが
よかろう

わしは
さてどんな
説教をして
やろうか
いや
このあばれ武蔵
そんなものに
耳を貸すタマ
じゃない

ならば
この腕に
ものをいわすか
……
などと
考えていたよ

うえっ
武しゃん
ふぐえっ

手紙が来たよ
ぐえっ
又八さんから
ふぐっ
うっ

また捨てられたよ
あたし

お甲ってどんなひと?

え?

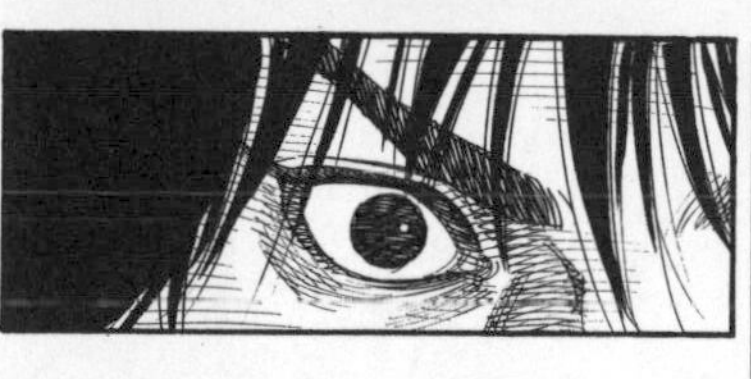

どんなひと?

武しゃん

……

お……
……
おつう
……

お前も……？

悪蔵(あくぞう)が!!
たたっ斬れ!!
生かすな!!
殺せ!!
殺せ!!

鬼め!!
悪鬼じゃ!!
獣め!!
あくぞう
悪蔵が!!

貴様を捕まえに来たのだ

……
ぜっ
ぜい
はっ
は、

…………

やつれたな
武蔵(たけぞう)……
立ってるのが
やっとか

ぜぇ ぜぇ
ぜっ ぜい

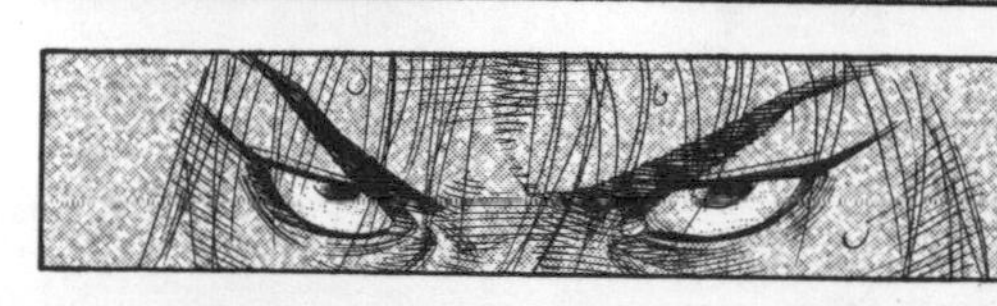

……お……
はっ
おつう
ここで
何してる？
……
……

……
声すらも
出ぬか……

こっちへ来い

＃16 捕獲

なあ
武蔵
え?
……!!

ボワーン

バガボンド

なあ
武蔵(たけぞう)…
え？
!!

おつう
おまえも
もっと食え
芋！
嫌!!
食え！

こんな山中で
何を恥ずかしがる
ことがある

人間とは
こういうもの
じゃねーか

あはは
ははは

フム
バッ

おや
芋を食べすぎたかな
おっ
おっ
ババボボ
ぶ────っ
ぶわははは
やめてよも────

おつう
おまえ
不思議なことを言ってるぞ

え？

又八が武蔵と友達のままでいてくれたから
又八が好き？
うん
ぐす
ぐしっ

ポッ
そんなところがいいところ

……
うっ……

うっ

うえ〜〜〜〜
……

おつうは……
武蔵が怖くなかったのか？
全然

……
うう〜〜
ぐやじ〜〜ちくしょう…

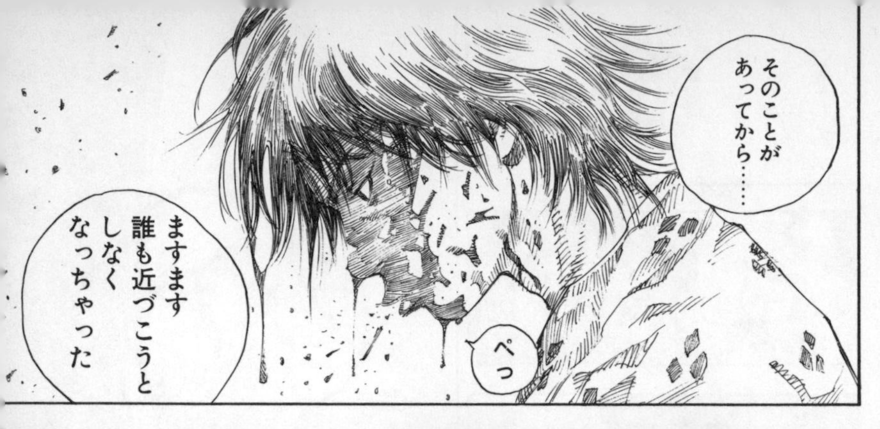
そのことがあってから……
ぺっ
ますます誰も近づこうとしなくなっちゃった

……そりゃ怖くて誰も近づけん
パチ
パチ
ただ……

ダメじゃ
又八ー

又八さんだけは
武しゃんと友達のままだったから……

……

あ……
ひっ
ひい――っ!!

俺だ
たっ
たけぞう

……!?

誰だ一番強いのは
俺じゃない
知ってるよ
ん？
!!
何だ
童（わっぱ）

武しゃんはね……

？
小さい頃から今と同じに……
みんなと仲良くできなくて
パチ
パチ

獣のように
山から滅多におりてこなくなった

13歳のとき
有馬喜兵衛
強者を求めて諸国を廻る
この村の一番強い男に試合を願いたいだって

そうか……
うえ～～
又八の嘘つき～～!!

まあよかったじゃないか
夫婦になる前で……
うっ
うっ

又八のこと好きだったのか？
うん……

どんなところが？
……

……

モシャモシャ

……
ず

ぐつ
ぐつ
ぐつ
おつう
……

この頃
何を
ふさぎこんで
いる……？

う……

話して
みんか？
わしに

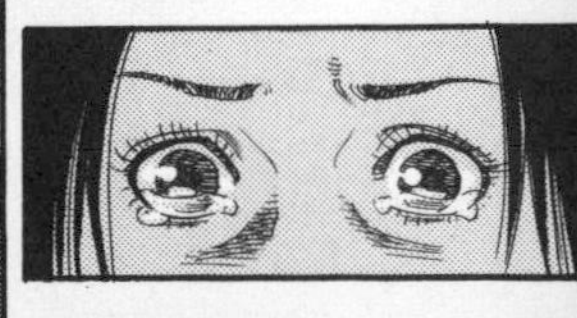

ふぐっ

ホレッ

おお!!
いいぞ!
山菜鍋だ!

…………

はあ
はっ
はっ
はあ
…………?

武しゃーん
おつう
芋が煮えたぞ食おう

だまされた!
あたしにばっかり捜させて!!

まあ 今日はもう無理だこの暗さじゃあ
ん?
何やってる?

……

……武しゃんが？

ほかに誰が？
……だよね

武しゃんを許して

ぎや――っ

…………

うちの嫁御が
何故……？

沢庵さん

武しゃんは
あたしに
捕まるような
ノロマじゃ
ないよー
カサ
何で
あんな
ことを？
カサ

はーー もう
どこにいるか
見当も
つかないわ
キョロ
キョロ

武
しゃーん
オーイ

ぐに

ん？

何故山狩りをやめる!?
あと少しであの武蔵めを捕らえられるというのに!!

沢庵坊とおつうが3日で捕まえてくると
青木様に約束したそうじゃ!!
ほんとけ?
3日で!?
できなければ寺の千年杉で首をくくるとよ沢庵坊が

阿呆よのう
たった3日で何ができる?
山狩りに行ったわしらが一番わかる
沢庵坊と……
おつうが?

#15 怖くない

バガボンド

武蔵はおつうが捕まえる!!

ニョロッ
いや全然？

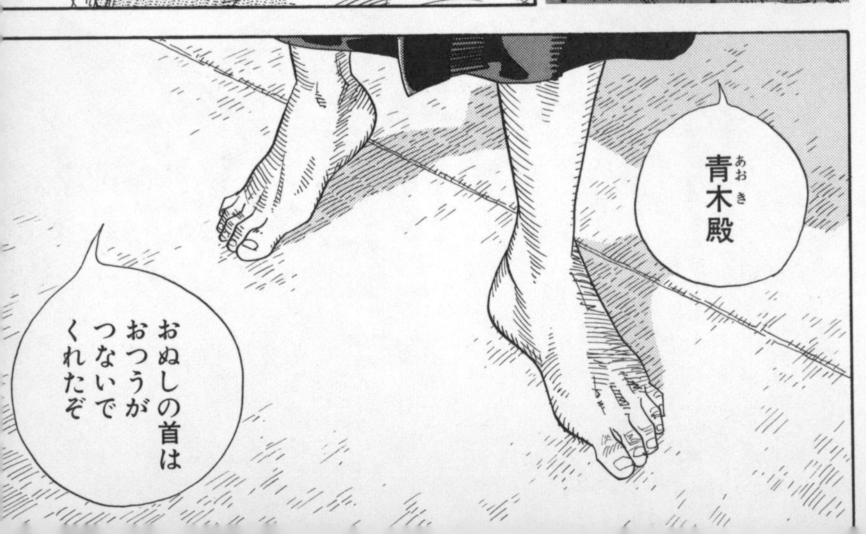
青木殿
おぬしの首はおつうがつないでくれたぞ

切腹だよ
ぐむ…
む…
……
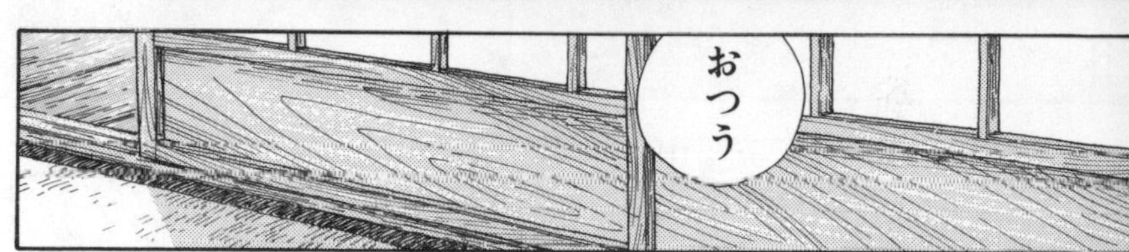
おつう

おまえ武蔵が怖いか？

武しゃん？
……

沢庵殿もうおよし!!
沢庵殿!!

沢庵!!

沢庵宗彭!!
姫路城主池田輝政様の無二の親友の……!?
村人の生活をさまたげて平然とし

部下の辛苦も思いやらず
おのれのみ美女に酒の酌など強いている

美女
ピク

役人根性の税金泥棒

もっと言いたいところだがあんたはもう終わってる
これだけ大さわぎして武蔵一人捕らえられないんだから

こんなに腰が引けてちゃ皮しか斬れん!!
わはは
……!!
沢庵……
沢庵と言ったか今……!?

「領主に仕えて忠」
「民に接して仁」
それがおぬしのような立場の者の本分だろう

沢（たく）……
はっ
はっ
はっ
はっ
庵（あん）…？
ツ…

わははは!!
腰！
腰!!

沢庵どのっ!!
沢庵さまっ!!

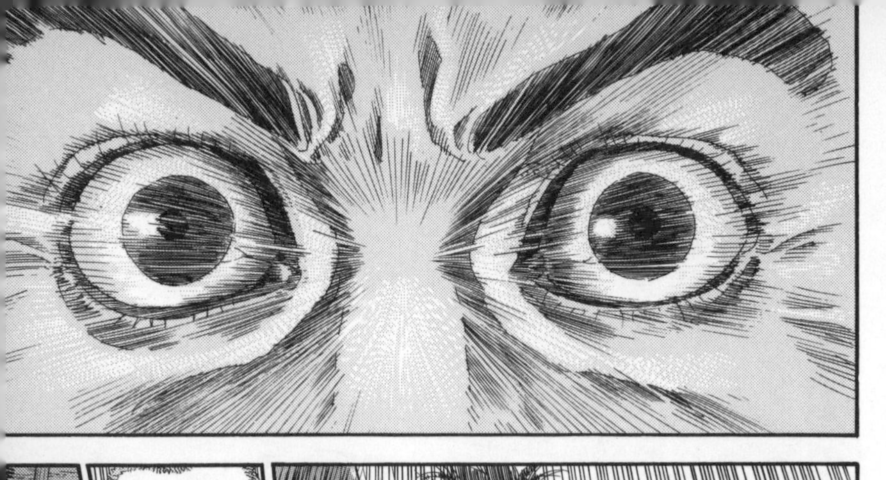

ところで
その刀
いつになったら
振りおろすんだ?

わかっとる
わかっとる
女一人の
山歩きは
危険
わしも
ついて
いこう

おつうに
ギク
まだ
お酌をして
ほしいの
か？
嫌っ

何を
言っておる
そんな
問題じゃ
ないっ!!

おつうう
──!!
おつうは
まだか
──!!

ぷぷぷ

はっはっはっ
おぬしがどんなに
入れあげても
無理だ
見ろこの
嫌そーな
顔
はっ
……!!
おつうっ

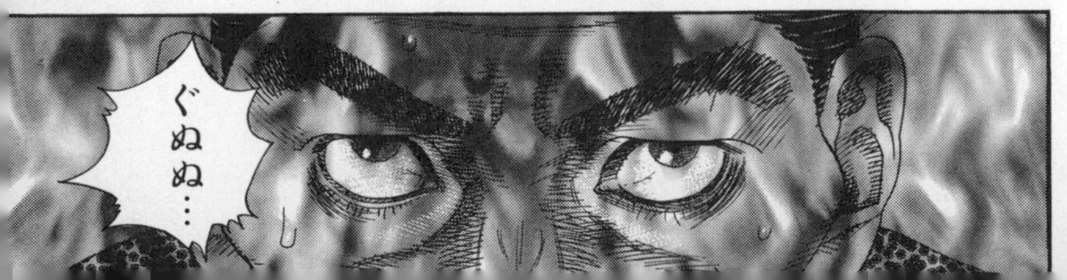
ぐぬぬ…

おつう
山へ行け
おまえが
武蔵を
捕まえてこい

えっ
何!?
何を…

何故こいつを討ち損じたかね？
あいつめ
!!

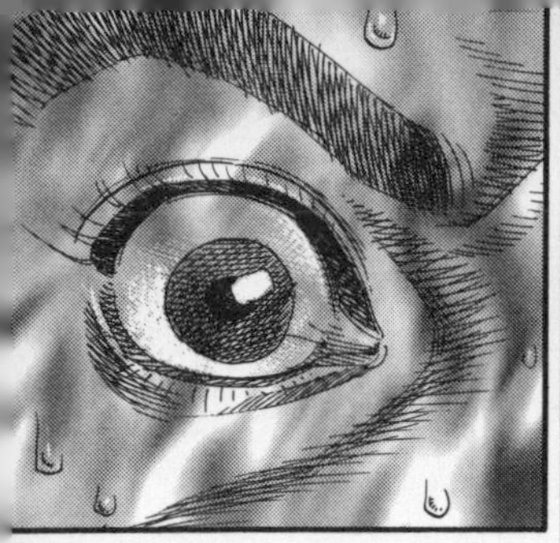

そうだろう
こいつの無能のために村人は畑仕事を捨て

山狩りなどとタダ働きをさせられる
たまったもんじゃないぞ
みな生活があるんだ

しかも武蔵は野生の猛獣も同然
山狩りは命懸けだ

むっ…

村の秩序っ…!!
のためには村人は命も懸けるべきか…フムごもっともならば——

隠しても
しようが
あるまい
おつう
能無しは
能無し
知らないなら
教えて
あげるのが
本人のためだ

おのれ……
愚弄しおったな!!
ひえっ
ギッ
覚悟せい
坊主!!
ドリ

ぱ
けしからんな
武蔵の奴!!
えっ
全く
けしからん!!

ひえ…

じゃあ
ゆっくり
言ってやるから
ちゃんと
聞けこの
の
う
な

ばっ
シーーッ!!
モガッ

はっ!?
のうなしー
いや
あのね
この人は
大体誰にでも
えらそう
なんですよ
あんたに
だけ
こうじゃ
なく
あんた!?
モガ
モガ

ハラハラ

ひえっ

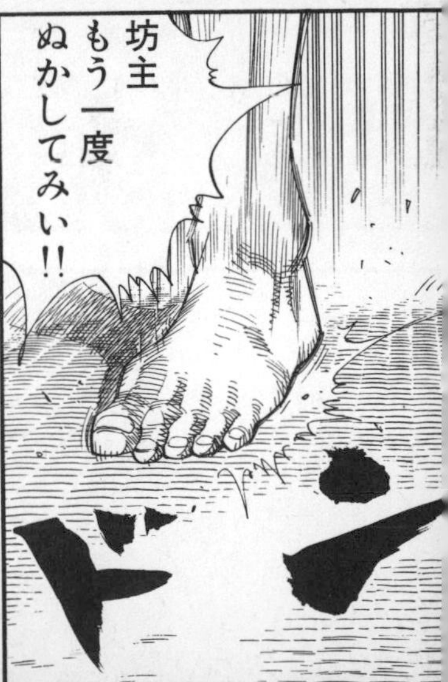
坊主
もう一度
ぬかしてみぃ!!
ドン

うわははは
何度も言ってるじゃねえか
まだ足りねーか

斬って斬って
斬りまくって
ギャア

ギャア

斬り死に
するんだろう

ギャア
ギャア
ギャア

それだけだ

知るか

#14 斬死

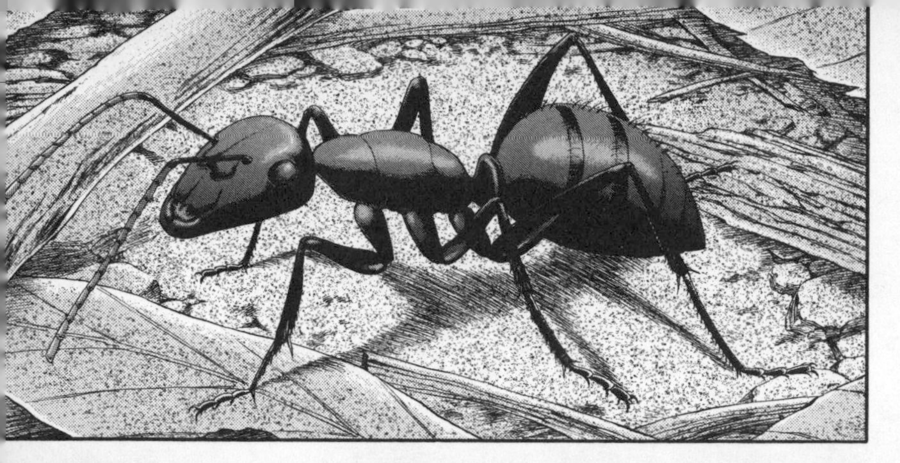
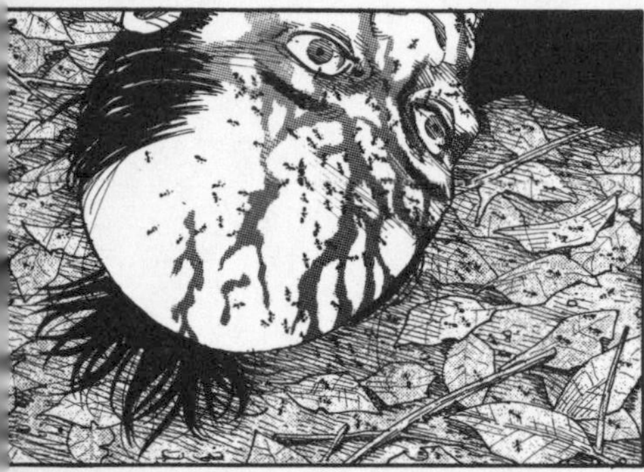

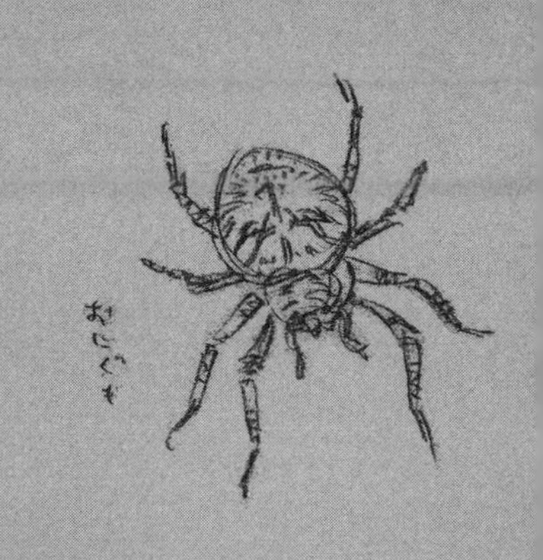
おにぐも

バガボンド

はっ
はっ
はっ
ハッ!!
ぐ…
ぐうう……!!

うがあぁ――!!
ドドドッ
!!
ガガッ
げっ!!
ザザッ
!!
とったっ!!
む……

ドッ
が!!
うぐ
ッ
!!
こっ……この野郎!!
この期におよんでまだっ!!
おのれ
斬れえ——っ!!

17年
生きた
何の
ために？

この世に
生まれて…

ザッ
取り囲め──っ!!
ザッ
今度こそ覚悟せい武蔵っ!!
ザッ
が──っ

暴れたら構わん!!斬れ!!
斬り捨てい!!

あ──
いたっ
武蔵っ!!
血を流してるぞ!!
!!

ちっ

どっ

出あえ出あえ──っ!!

ズ
ズ
ズ

武蔵だ──っ!!
いたかっ!!

!!

……

…!!

ガサ

あっ!?

死ね

フッ

そして
死ぬ
それだけの
ことだ
お前も俺も

仕方ねえから
横取りした
お前を殺すまで
ハッ…
そう
かよ
ふふっ…
変な
兄弟
この世に
生まれて
十数年
生きた

ド
兄の仇討ちではない
はっ
はっ
はっ
どろ…
どろり
俺が殺すはずだったのだ
典馬を

お前がかつて
殺してきた
者たち同様

何をあがく
「たけぞう」

お前が死のうと
誰も顧(かえり)みやしない

毒は塗ってねえ

兄の仇討ちか
はっ
はっ
はっ
ぬるり

来やがれ

!
ズ
!!
ザ

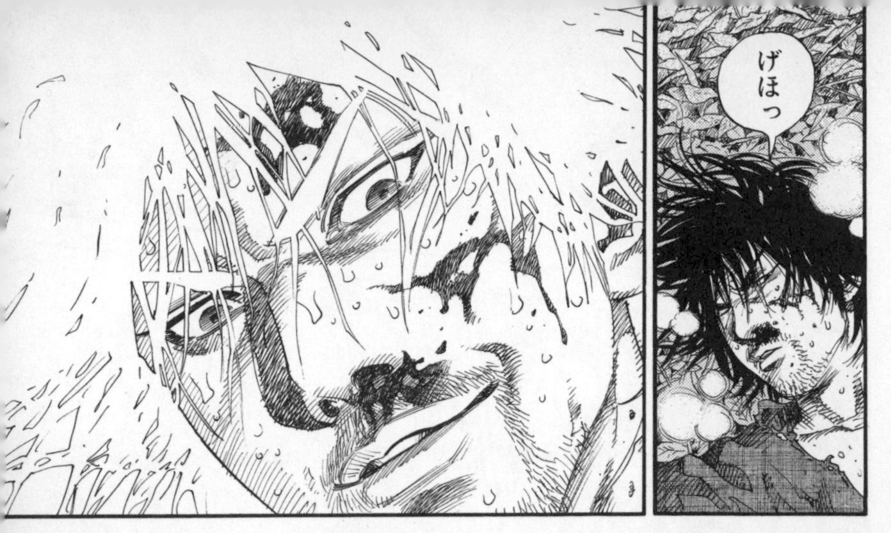
げほっ

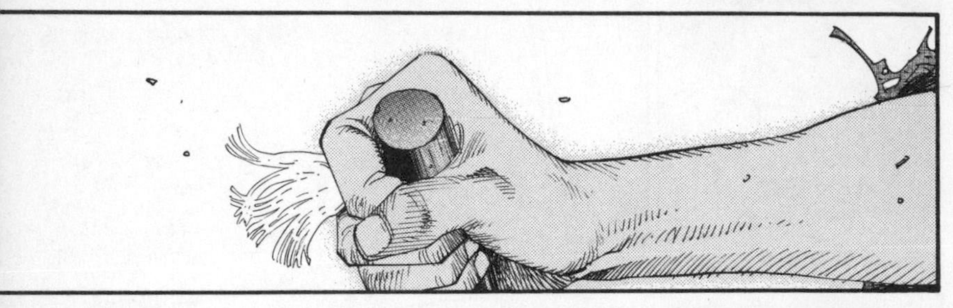

ゴゴッ
ッ
!!
ガッ
ゴ
むっ
ドッ
ぐ……
やはり
お前が
兄者(あにじゃ)を
殺(や)った

「たけぞう」
!!

辻風黄平……
辻風っ
#13 生

いろいろな奴に追われてるようだな　お前
俺が今楽にしてやろう
俺は不破村の辻風――
辻風黄平だ

ド

！
ガッ

山狩りの奴じゃねえ!!
はっ
はっ
はっ
誰だ!!

又八が生きてると
おつうに伝える
だけだ
この村に用は
それだけだ
お前らにどう思われ
ようと関係ねえ

お前はこの村で
一番弱い

……

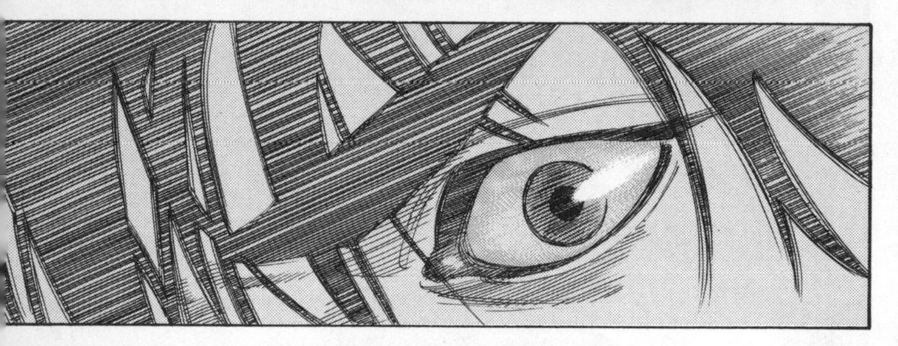

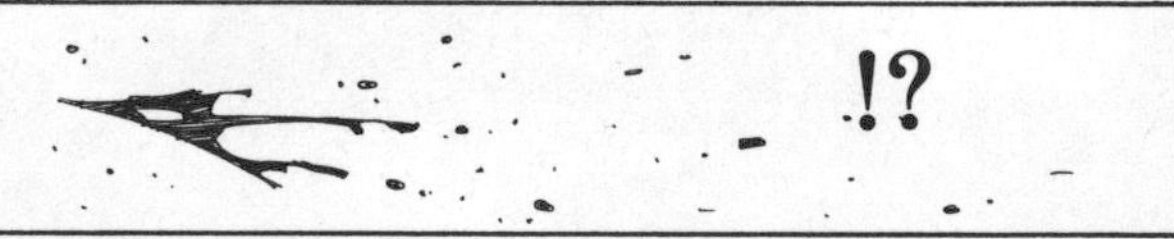
!?

はぁ
はぁ
おうっ
ええっ
何か
くわねえと……
はぁ
はぁ
うげっ
はっ
はっ

ガサ

武蔵はいたかー
いや
いねーっ
ふん 間抜けども
……捕まるか
貴様ら
なんかに

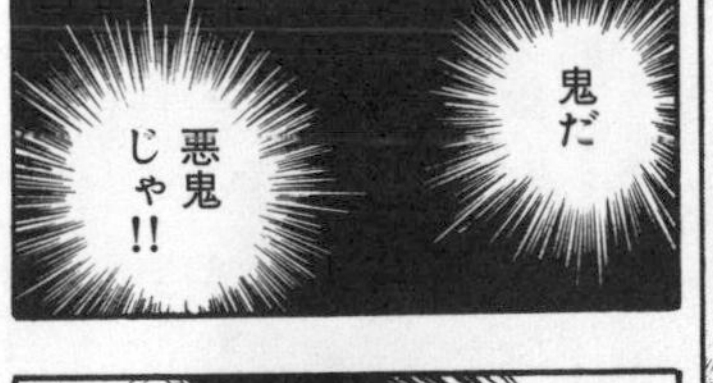
鬼だ
悪鬼じゃ!!

寒けがする
その眼!!
そーかよ

能なしっ
ひえっ
ん?
斬ろう
ガッ
無礼じゃ
ほう……
能無し武士にわしが斬れるかね

酒のんで
ばかりの
へなちょこに
武蔵が
捕まるわけ
ねえなあ

……

ビクリ
何じゃと
坊主?

武蔵一人
捕まえる
のに
ヨイショ
何十日
何百人を
費やしとる?

村人みんな
迷惑しとるぞ
能無し!

あっ
おつうさん
沢庵さま

武蔵とは
幼友達
だったのか
こくり
又八さん
も
うっ
ぶああ
〜〜〜
又八の
阿呆
〜〜〜

ひくっ
ひくっ
おお
早く早く

……

よいしょっと……
沢庵さん

捜してるぞいいのか？
おつうさん

おつうさーん
おつうさーん
行かない

あのヒゲ侍嫌い
お酒のんでばっかり
あんなへなちょこに武しゃんが捕まるわけない

フム……確かにな
よし じゃあわしが一緒に行ってやろう

又八の阿呆……
ぐすっ

おつうぅ――!!
おつうはまだか――!?

青木様！まだそんな大声を出しては怪我に響きますぞ！
おつうは近頃ちっともワシの前に姿を見せんではないか！酒がまずい！
いてててて……

今さがしておりますので……
いて!!はよせい！

おつう――!!
おつうさーん!!

七宝寺

……この失態……

このままでは切腹モノである
キュッ

ウーム痛い……
武蔵め……

翌日から
山狩りは
さらに強化

姫路城からは
援軍が

村人たちも
くわやすきを
竹槍に持ちかえ
山へ
狩り出される
毎日

しかし
武蔵は
いっこうに
捕まらないの
だった

いたぞー
こっちだ
──!!
武蔵だ
──!!

!!
かかか!

おお沢庵坊！
武蔵が来たじゃろうが!!
ハッ
ハッ
ハッ
どっちゃ行った!?
あっち

あっちだ!!
ダッ

……

沢庵とやら
いらぬ世話だ

あんな奴らに俺が捕まるか
恩には着ねえ

あ?
何言ってやがる?

お
あれか!?
ダダダ

!

むっ!?
違うぞ!!

くそっ

お前に触れたら切れそうだ
そうやってまるで刃物のように神経をとがらせ人を寄せつけないのは

人が怖いからだ

お前はこの村で一番弱い

怖いか

あ？

#12 沢庵（たくあん）

坊主だろうと
殺すぞ

体はでかいが

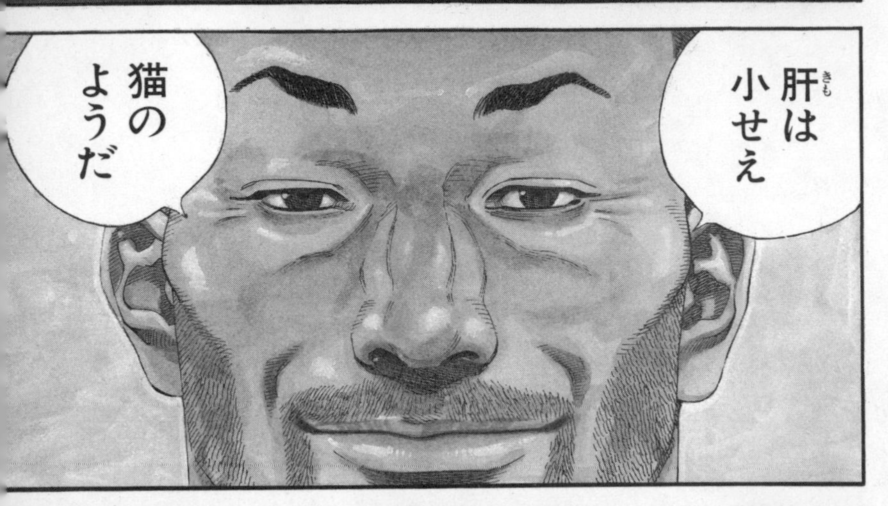
肝は小せえ
猫のようだ

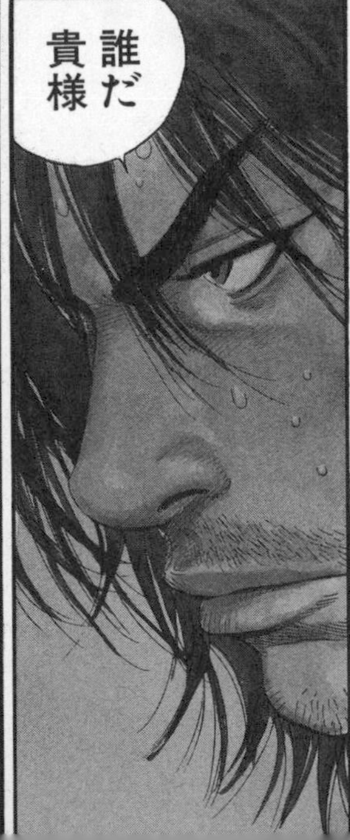
誰だ貴様

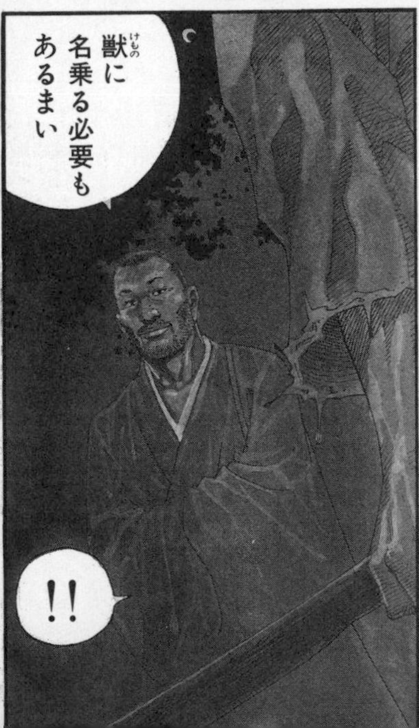
獣に名乗る必要もあるまい
!!

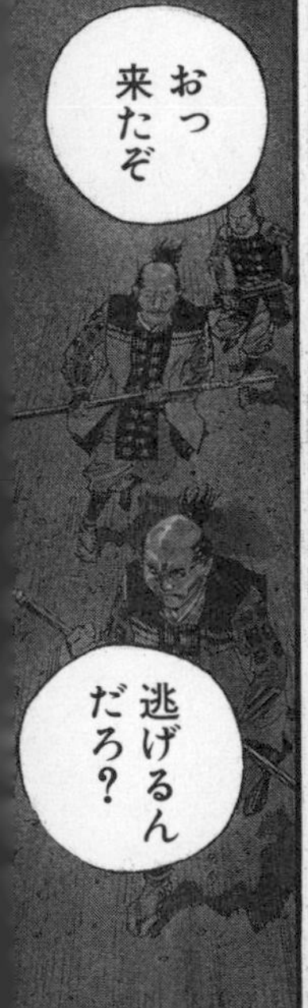
おっ来たぞ
逃げるんだろ?

バガボンド

肝(きも)は小せえなあ

むっ

ほう…
大物のようじゃが

!!
ガッ
ズ
ザザッ
!?

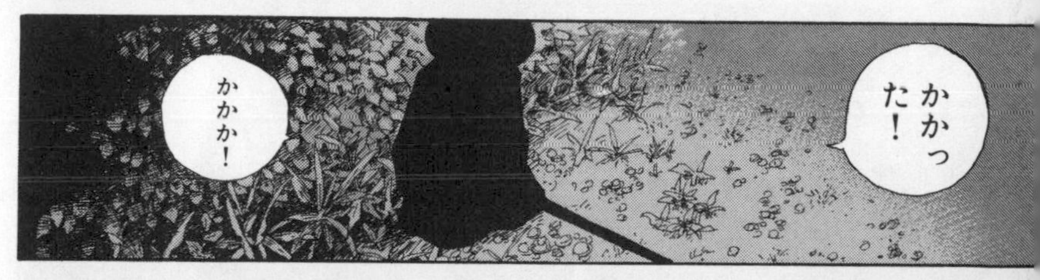
かかった！
かかか！

ムクリ
鹿か
猪か

うわっ
ひいっ
ダッ

待てコラ――ッ!!

悪鬼——

気に入った

どしっ
げあっ

はあ
はあ
はっ
はあっ
はっ

鬼だ!!
悪鬼(あっき)じゃ!!

悪鬼
寒けがする!!

その目つき!!

ああ茂一(もいち)——っ!!

ガ
うが…

どけっ
うひっ!!
引くなあっ!!

引かんぞっ!!
武蔵ここは通さん!!
どけ松じい

おぬし人の命を何と思っておるっ!?
この鬼畜め!!
宮本村の恥じゃっ!!
そうじゃ!!
松じいのいう通り!!
外へ出て恥をさらす前にここで死ねっ!!

なにっ…
そうだ!!
くたばれこの獣め!!

!?
今だお侍!

放せ馬鹿!
よし

わぁぁ
鬼っ!!
ひぃっ
まるで
鬼だ!!

ザン
ひいっ

パカッ
!!
んがああっ
ひぃ!!
はっ
はっ
はっ
かかれ―っ!!
打ち殺せ―っ!!

くあっ
青木様!!
ドドッ
青木様——!!
おのれこの男生かして帰すな
はっ
はっ
卑怯だっ
はっ
はっ
はっ
母子そろってっ
なんじゃと!?

!!

ひっ……

だがこの状況──
いずれ力尽きるのは必定
この不遜な若造も
死が間際に迫ったと知ったら──
己の死が確実に
すぐそこに来たのだと悟った瞬間には──

恐怖に凍る!!
その顔を見るのはたまらんぞ!!

えっ!?
自分が生き永らえるために
他人の命は無情にもあっさり奪う!
何のためらいもなく平然と!
あ!!

ぎゃっ
ドカ
強い!
何という剛力!

殺すと
いっただろ

おのれっ……!!

暴れて
抵抗して
傲岸不遜!

新免武蔵
気に入った!

ゴゴッ
うっ
ぐっ
ザッ
うああぁっ!!
ドドドッ
ドドッ
ザザッ
うっ!!
!!

ザザザガーン
ぐあっ
ああ

うわあっ
ひいっ
どざっ

たっ……
武蔵(たけぞう)っ…

あっ!!
ダッ
よし追いつめろ!!

カ
ッ
あ!?
ドッ
ゴッ
げふっ

又八の阿呆ーー!!
くそーー
お甲って誰ーー
いっあああ
おつうっ
やめなさいっ!!
#11 悪鬼

うぎゃあ
あああ
バリバリバリ
おっ
おつうっ
!!
!?
どうしたっ
手紙に一体
何が書いて
あったのだ!?
あのね

何!?
うっ
そうか……
許嫁の又八が
女と……!!
ぐすひん

つらいときは
泣くがよい
愚僧の
胸で
男
なんてっ
ドンッ
!!

そんな
つもりじゃ
……
おつうっ

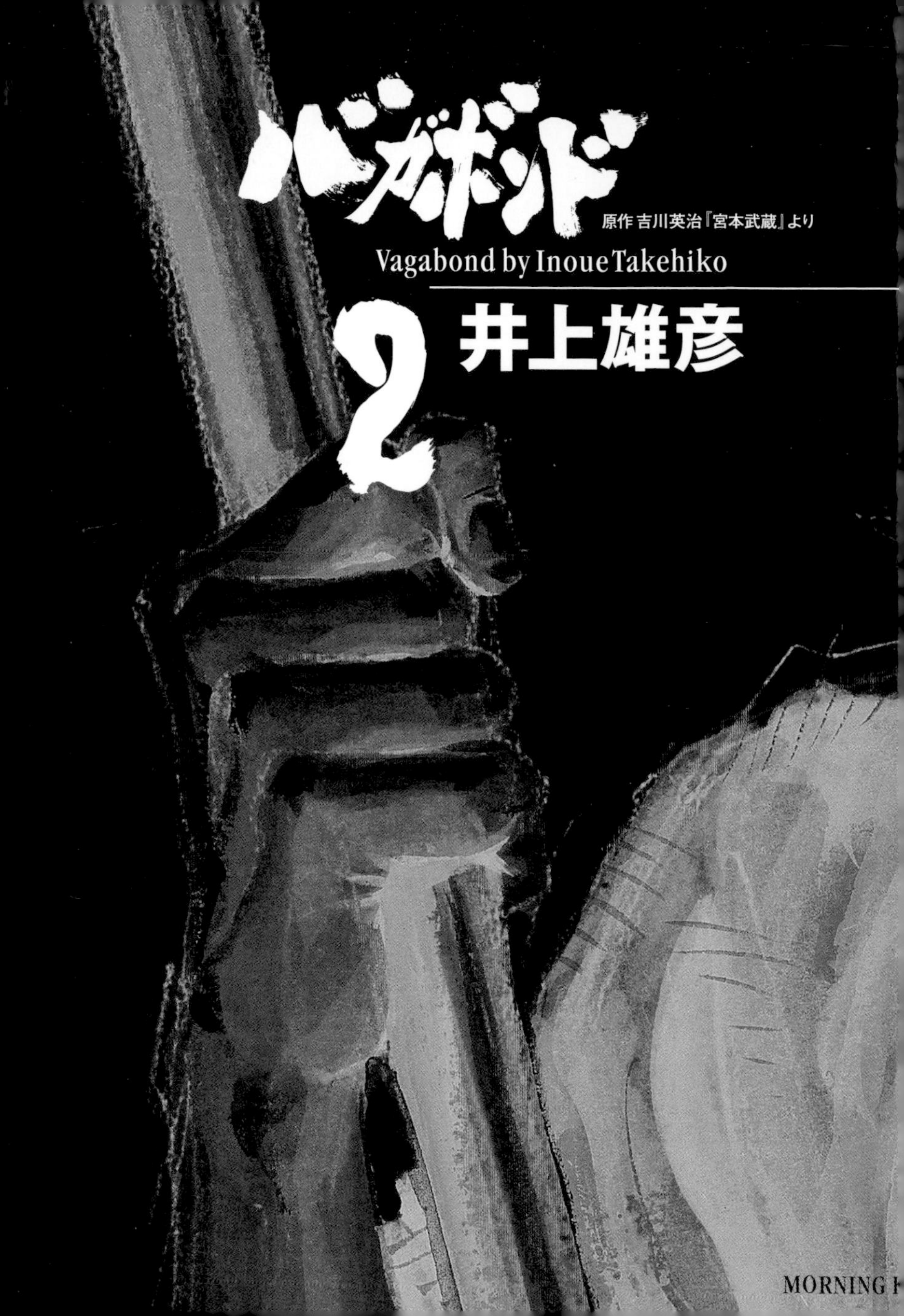
バガボンド
原作 吉川英治『宮本武蔵』より
Vagabond by Inoue Takehiko
2
井上雄彦
MORNING